日本精选**专注力**培养大书

魔法王国
闯闯看

[日] 香川元太郎 [日] 香川志织 / 著　丁丁虫 / 译

青岛出版社
QINGDAO PUBLISHING HOUSE

荧光灯笔

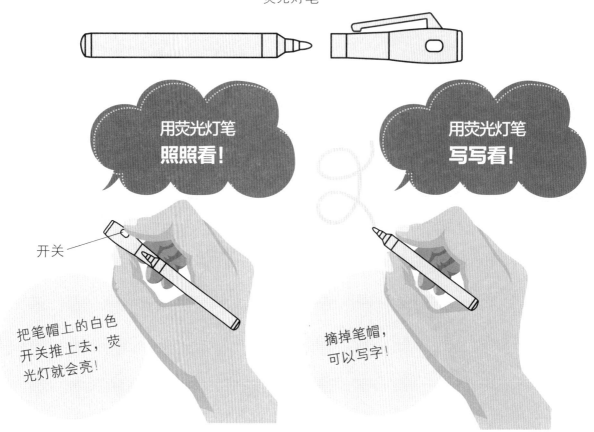

用荧光灯笔
照照看！

用荧光灯笔
写写看！

开关

把笔帽上的白色开关推上去，荧光灯就会亮！

摘掉笔帽，可以写字！

请用荧光灯笔在书中的各个角落仔细照照看。
除了故事线索，每一页还隐藏了很多内容哦！

使用提醒

▶ 不要用笔帽上的灯照本书之外的人、动物或其他东西，特别是眼睛。

▶ 不要随意拆卸荧光灯笔。

▶ 请和身边的大人一起仔细看过本"使用提醒"之后，再阅读故事。

有一天，杰克在森林的入口发现了一根魔杖。

神奇的是，当他拿起那根魔杖，魔杖顶端的宝石便发出了光。

于是，杰克拿着那根魔杖走进了森林。

　　走着走着，杰克面前突然出现了一扇紧闭的大门，门上画着三个奇怪的符号。

　　"这是什么地方？"杰克一边想，一边仔细察看四周。

杰克发现，在魔杖所发出的光的照射下，有些东西渐渐显现出来。

请用魔杖照亮书页。在显现出来的东西中，有1个与门上其中1个符号相同，门上的那个符号就是开门的机关。

杰克按了一下门上的"×"符号，
门开了！可是，里面一片漆黑。
他小心翼翼地走进去。
突然，门又关上了！

不管杰克怎么做，都没能再打开门。
"出不去了。"杰克心想。
没办法，他只好借助魔杖的光，硬着头皮朝里面走去。

走了一会儿，杰克听到有奇怪的声音从里面传来。

他继续朝里走，看见一个女孩儿正坐在地上大哭。

"发生了什么事儿？"杰克问。

"魔杖应该就在这附近，可是我怎么也找不到。"

"你说的是它吗？"杰克把自己捡到的魔杖递给那个女孩儿。

"就是这个！"

女孩儿高兴地接过魔杖。但奇怪的是，它不再发光。

难道只有杰克才能使用它？

"你好，我叫艾丽莎。"

"我叫杰克。"

杰克向艾丽莎讲述了自己先前的经历。他们决定结伴前行。

请找出 3 个月牙 🌙 图案。

杰克和艾丽莎借助魔杖的光往前走，不久便来到一个大厅里。
厅里亮着灯，正中央的大门紧闭着，四周还有许多扇关着的门。

"一定有一扇门是可以出去的。"杰克说。
"用魔杖照照看吧。"艾丽莎提议。

请用魔杖照亮左下方的箭头，
然后依照箭头的指引找到可以
出去的门。

他们沿着楼梯上到二楼，依照箭头的指引打开了门。

"终于出来了！"杰克开心极了。

但是，看清周围的情况后，他不禁吓了一跳。

眼前是一个他从未见过的世界，到处都是水。

看到杰克惊讶的样子，艾丽莎问："难道你来自另一个世界？"

杰克点点头，忧伤地说："我可能再也回不了家了……"

"我爷爷或许可以帮你回家。不过，邪恶的巫师给我们的王国下了魔咒，只有借助魔杖才能解除。所以，离开这里前，你能不能先帮我们解除魔咒？"艾丽莎恳请杰克帮忙。

杰克一口答应了。

 请找出 4 个海星 图案。

于是，杰克和艾丽莎马上出发，一起去找艾丽莎的爷爷。

他们在水里划着船艰难前进。

"我们不熟悉这一带，很难找到正确的路。最好的办法，是请住在水下的居民带路……"艾丽莎说。

"可是，因为害怕巫师，这里的居民全都逃走了。"艾丽莎垂头丧气地说。

"没关系，让我们用魔杖试一试。"杰克说。

请借助魔杖的光，找到那条能够抵达魔法王国的水上道路。要注意避开岔路上的怪物哦。

借助魔杖发出的光，他们终于找到了通向魔法王国的道路。路上，艾丽莎讲起了魔法王国的遭遇。

"我们的王国原本十分安宁，可是有一天突然来了一个巫师，他对这里施了魔咒，把所有人都变成了石头……

"在爷爷的帮助下，我才得
以逃脱。爷爷虽然不是魔法师，
但对魔法很精通。他说，要想
解除魔咒，必须借助魔杖的力
量，所以我才去森林里寻找它。

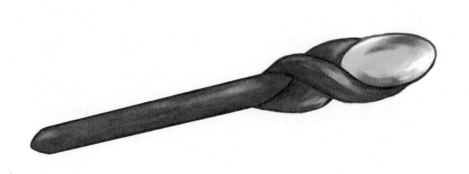

"爷爷应该还在研究使用魔杖解除魔咒的方法……
另外，我们还得找到巫师。"艾丽莎对杰克说。

请找出 5 个蝙蝠 图案。

可是，进入魔法王国的门好像也被施了魔法，紧紧地关着。

"开启大门的咒语或许就藏在这附近，
快用魔杖找找看吧！"艾丽莎着急地说。

请用魔杖找到 5 个字，并按照
从左到右的顺序大声读出来。

"大门为我开！"杰克大喊。
果然，门吱呀一声打开了。

杰克和艾丽莎走在街道上，感觉不到一丝生活的气息。

道路两旁有许多石像，都是被魔咒变成的石头人。

看着眼前的景象，艾丽莎很伤心。她知道，
要想帮助人们解除魔咒，必须赶紧找到爷爷。

请找出 H、E、L、P 这 4 个字母。

王国的中心位置有一棵喷泉树，艾丽莎的家就在喷泉树右上方的街道尽头。

可怕的是，巫师派了众多妖怪
埋伏在很多条路上。艾丽莎和杰克
怎样才能安全到达艾丽莎家呢?

请用魔杖找到没有妖怪把守
的路，帮艾丽莎回家。

　　走出街道，远远地就能看见一座造型奇特的房子，那就是艾丽莎的家。

"艾丽莎！"

"爷爷！看，我找到魔杖了！"

"太好了！有了它，我们就可以用魔法阵打败巫师、解除魔咒了。"

"不过，我们还需要你的帮助。"爷爷对杰克说。

"我一定会尽力帮忙。"杰克诚恳地说。

于是，他们立即赶往巫师的城堡。

请找出9个蝌蚪　　　图案。

巫师城堡的门前，有许多怪兽正在巡逻。

"要想引开它们，必须先借助魔杖听懂它们说的话。"爷爷说。

杰克举起魔杖，悄悄地朝那些怪兽照过去。

" "

请用魔杖照亮左侧怪兽的话，并找出7根它们想吃的东西。

他们用香蕉成功引开了怪兽，进入城堡。

"我先去楼顶准备魔法阵，你们去找到巫师，并把他引上来。千万要注意安全！"爷爷叮嘱道。

"对了，带好你的魔杖。嗯……到时候还需要用到咒语……"爷爷对杰克说。

杰克和艾丽莎在城堡里四下寻找，终于发现了巫师的踪影。

"站住，别跑！"巫师一看到他们便追了上来。他们按计划把巫师引向楼顶。

请找出时间为 8 点整的表盘。

没想到，通向楼顶的门已经被巫师施了魔法，怎么也打不开。

"钥匙也许就在房间里，我们用魔杖找找吧！"

房间里有 2 个符号与大门上的
符号相同，那就是开门的钥匙，
快用魔杖找一找吧！

门打开了。爷爷已在楼顶布好了魔法阵，正等着他们上来。
"你们逃不掉了，赶快投降吧！"巫师果然追了上来。

"杰克，快，用魔杖照亮魔法阵，然后念出咒语！"爷爷叫道。

请按 1—6 的顺序依次照亮线条，完成魔法阵！咒语的 7 个字隐藏在前面几页的 ☆ 图案里，赶快仔细找一找吧！

"天地四方水汇集！"

　　杰克用魔杖照亮了魔法阵，并念出咒语。四面八方的水突然汇集过来，喷向巫师。

巫师被强大的水
流击中，晕了过去。

"成功了！我们打败了巫师！"
艾丽莎高兴地欢呼起来。
　　巫师被抓住了，王国的魔咒也解
除了，人们纷纷向杰克表示感谢。

"我该回去了。"杰克与大家道别。

请找出 3 个茄子 图案。

爷爷带杰克和艾丽莎走进一个山洞，指着洞里那块又大又漂亮的石头，说："魔杖上的宝石就是从这块大石头上取下的。"

"巫师用魔咒锁住了这块大石头的魔力。杰克，用你的魔杖来解除魔咒吧。"

请用魔杖照亮洞穴的各个角落，找到 5 个 标记，解除魔咒。

杰克顺利解除了魔咒。

"现在，用魔杖激发出这块大石头的魔力，你就可以返回你所在的世界了。"爷爷说。

"保重……"艾丽莎忍不住哭了。

"再见了……"杰克依依不舍地对爷爷和艾丽莎说。虽然在这个魔法王国里待的时间不长，但共同闯过重重难关后，杰克已经和爷爷、艾丽莎有了深厚的感情。

杰克慢慢地走近大石头，用魔杖照亮了它。

刹那间，杰克发现自己已经回到了森林里。

他手里空空的——魔杖不见了。

 请找出 ♤ ◆ ♣ 这 3 个图案。

那场冒险也许并不是现实，但又有什么关系呢？在杰克的心中，永远都会留存着关于魔法王国的珍贵记忆。

作者简介

著者 ◎ 香川元太郎

　　日本爱媛县人，武藏野美术大学研究生毕业。所制作的迷宫绘本在日本大受欢迎，亦为历史教材绘制过许多插图。"冒险大迷宫"系列是其代表作品。

◎ 香川志织

　　日本埼玉县人，女子美术大学美术系日本画专业毕业。主要从事插画制作，自"冒险大迷宫"系列的《生物进化》一书开始担任香川元太郎的助理。在本书中，协助制作主要角色及撰写故事。

译者 ◎ 丁丁虫

　　科幻作家，翻译，资深程序员。上海市科普作家协会理事，中国科普作家协会会员，科学松鼠会成员。译作有《穿越时空的少女》《墨攻》《看海的人》《美丽之星》《来自新世界》等。

用荧光灯笔写下你喜欢的内容吧！

姓名：

图书在版编目（CIP）数据

日本精选专注力培养大书：全3册.1,魔法王国闯闯看/（日）香川元太郎、
（日）香川志织著；丁丁虫译.— 青岛：青岛出版社,2018.11
ISBN 978-7-5552-7491-9

Ⅰ.①日… Ⅱ.①香…②香…③丁… Ⅲ.①智力游戏–儿童读物 Ⅳ.① G898.2

中国版本图书馆 CIP 数据核字（2018）第 187315 号

BLACK LIGHT EHON HIKARI NO TSUE FUSHIGINA KUNI WO DAIBOKEN

by Gentaro Kagawa and Shiori Kagawa

Copyright ©2017 Gentaro Kagawa and Shiori Kagawa

All rights reserved.

Originally published in Japan by KAWADE SHOBO SHINSHA Ltd. Publishers, Tokyo.

This Simplified Chinese edition is published by arrangement with

KAWADE SHOBO SHINSHA Ltd. Publishers, Tokyo c/o Tuttle–Mori Agency, Inc., Tokyo.

山东省版权局著作权合同登记号 图字：15-2018-66 号

书　　名	日本精选专注力培养大书·魔法王国闯闯看	
著　　者	[日]香川元太郎　[日]香川志织	
译　　者	丁丁虫	
出版发行	青岛出版社	
社　　址	青岛市海尔路 182 号（266061）	
本社网址	http://www.qdpub.com	
邮购电话	0532-68068091	
责任编辑	刘怀莲　刘倩倩	
封面设计	程　皓	
照　　排	青岛佳文文化传播有限公司	
印　　刷	青岛名扬数码印刷有限责任公司	
出版日期	2018 年 11 月第 1 版　　2020 年 12 月第 13 次印刷	
开　　本	16 开（889mm×1194mm）	
印　　张	8	
字　　数	160 千	
书　　号	ISBN 978-7- 5552-7491-9	
定　　价	88.00 元（全 3 册）	

编校印装质量、盗版监督服务电话　4006532017　0532-68068638